LLANAST!

LLANAST!

Mari Lovgreen

Lluniau Helen Flook

Gomer

Cyhoeddwyd gyntaf yn 2015 gan
Wasg Gomer, Llandysul, Ceredigion, SA44 4JL
www.gomer.co.uk

ISBN 978 1 84851 904 6

Cyhoeddwyd gyda chefnogaeth Llywodraeth Cymru.

Argraffwyd a rhwymwyd yng Nghymru gan
Wasg Gomer, Llandysul, Ceredigion.

Pennod 1

Anni daclus

Merch fach daclus oedd Anni Glyn â'i gwallt melyn bob amser wedi ei blethu'n ofalus, gyda phob un blewyn yn ei le.

Roedd hi'n byw mewn tŷ teras yn y dref gyda'i rhieni, a'i brawd bach Elis, oedd dal yn fabi.

Doedd Anni ddim yn hoffi mynd yn rhy agos
at Elis, rhag ofn fod angen newid ei glwt; neu'n
waeth byth, rhag ofn iddo daflu i fyny drosti fel
y gwnaeth dros Mam unwaith . . .

nes bod darnau o foron yn sownd yn ei gwallt
i gyd.

Roedd yn gas gan Anni unrhyw fath o lanast.

Yn anffodus i Anni, roedd hi'n anodd iddi ei
osgoi, gan fod ei chartref yn debyg iawn i jyngl.

'Sut all tŷ fod yn debyg i jyngl?' dwi'n eich
clywed yn gofyn. Wel, gadewch i mi egluro.

Pennod 2

O Mam bach!

Dyma fam Anni, Myfanwy Morgan Bowen. Yn wahanol i'w merch, roedd Mrs Bowen yn ddynes flêr. Yn ddynes flêr iawn.

Roedd ei phen yn edrych fel cwmwl anferth
mewn storm.

Roedd sawl un yn tynnu coes Anni y gallai adar gwyllt fyw yng ngwallt ei mam, gan ei fod mor anniben. A hawdd fyddai credu hynny.

Tra bod Anni wrth ei bodd yn gwisgo dillad pinc, prydferth, roedd dillad ei mam fel enfys o flêr.

Ond, roedd rheswm da am hynny.

Wedi'r cwbl, roedd Mrs Bowen yn wraig brysur.
Yn wraig brysur iawn.

Doedd dim yn well ganddi na rhoi cartref
i anifeiliaid o bob math. Anifeiliaid doedd NEB
arall eu heisiau.

Cathod teircoes, cŵn dall, llygod mawr hyll, hen nadroedd – doedd yna'r un anifail oedd ddim yn cael croeso yn eu cartref.

Roedd Mrs Bowen yn rhoi bron cymaint o sylw i'r anifeiliaid ag oedd hi'n ei roi i'w phlant, Anni ac Elis. Dyna pam nad oedd ganddi ddigon o amser i frwsio'i gwallt na gwisgo'n smart.

Pennod 3

Mwy o lanast

A beth am dad Anni? Wel, doedd Mr Bowen ddim yn flêr chwarae teg. Byddai bob amser yn gwisgo siwt daclus am ei gorff hir, tenau ac yn cribo ei wallt a'i fwstash bob bore cyn mynd i'r gwaith. Ond . . .

roedd o'n un da am greu llanast hefyd. Lot o lanast. Llanast drwy'r tŷ.

Prynu a gwerthu hen bethau oedd gwaith
Mr Bowen. Felly, roedd pob math o geriach
yn ei ddilyn adref bob dydd. O ddodrefn
o ben draw'r byd i deganau hen ffasiwn, hyll,
doedd yna ddim byd na fyddai Mr Bowen yn
ceisio'i werthu.

Allwch chi ddychmygu'r ffasiwn lanast?

Roedd hi'n anhrefn yng nghartref Anni o fore gwyn tan nos.

Unwaith, roedd Anni wedi deffro yng nghanol nos a darganfod neidr gantroed yn chwyrnu ar ei thalcen.

Neidiodd allan o'i gwely gyda sgrech gan lanio ar ei phen mewn bocs yn llawn hen bypedau pren rhyfedd.

Anni, druan.

Pennod 4

Dianc

Byddai Anni'n breuddwydio am gael dianc
o'i chartref prysur at Begw ei ffrind gorau, oedd
yn byw drws nesaf iddyn nhw ar Stryd y Bryn.
Bron y gallai afael dwylo â Begw wrth ymestyn
ei llaw drwy ffenestr ei stafell wely.

Roedd wedi meddwl gwneud twll enfawr yn y wal, er mwyn i'r ddwy gael rhannu'r un stafell. Ond byddai gwneud hynny'n golygu . . . MWY O LANAST!

Roedd tŷ Begw fel pin mewn papur. Carpedi gwyn oedd mor feddal â chandi fflos o dan eich traed, dim anifeiliaid, dim geriach, dim llanast. Roedd y lle'n disgleirio.

Doedd gan Begw ddim brawd na chwaer, felly doedd yna ddim cewynnau, na theganau llawn poer babi i'w gweld yn unman. Roedd popeth yn nhŷ Begw yn daclus, ac yn ei le.

'Mam, ga i fynd i aros y noson gyda Begw, plis?'

Roedd Mrs Bowen wrthi'n ceisio rhoi bwyd i Elis, oedd yn sgrechian (fel arfer), tra'n brwsio cynffon hen geffyl llwyd yr un pryd.

'Sut? Be? Pryd?' atebodd ei mam, a'i phen cwmwl yn bownsio o un ochr i'r llall.

'Fyswn i'n hoffi mynd i aros gyda Begw heno, os ga i?' holodd Anni eto, gan osgoi blob mawr o uwd oedd yn hedfan i'w chyfeiriad.

'Iawn gen i, pwt! Hola dy dad, i wneud yn siŵr,' meddai, gan roi llond ceg o uwd Elis i'r ceffyl llwyd mewn camgymeriad.

'O, Mam!' Rowliodd Anni ei llygaid gan frysio
o'r stafell gefn lle roedd ei thad wrthi'n trio
trwsio hen beiriant golchi dillad. Roedd ei ben
wedi diflannu'n gyfan gwbl, ym mol du'r
peiriant.

'Dad?'

Cododd Mr Bowen ei ben yn sydyn gyda . . .

Neidiodd ar ei draed yn flêr a glaniodd ei droed chwith mewn sosban wag.

'Paid â dychryn dy dad fel yna!' meddai.

'Paid â dychryn dy dad fel yna!' crawciodd
y parot pinc oedd newydd lanio ar ysgwydd
Mr Bowen.

'Dwi'n mynd i aros gyda Begw heno. Wela i chi fory!' meddai Anni'n benderfynol, gan droi ar ei sawdl a gweithio'i ffordd yn ofalus at y drws ffrynt – heibio i'r teulu o grwbanod, pentwr o hen blatiau blodeuog, beic, gôl bêl-droed a chwningen dew.

Teimlodd ryddhad wrth gau'r drws ar yr holl lanast.

Pennod 5

Nefoedd wen

Anadlodd Anni'n ddwfn a gwenu fel giât wrth gamu at ddrws ffrynt sgleiniog Begw. Canodd y gloch yn ofalus.

Agorodd mam Begw'r drws.

Edrychodd Mrs Wyn ar Anni'n ofalus – o dop
ei phen lawr at ei hesgidiau pinc.

Roedd hi'n ddynes hynod o smart â'i gwallt
hi'n ddu a'i gwefusau'n goch, a'i dillad bob
amser yn edrych yn newydd sbon. Gwenodd
y mymryn lleiaf.

'Helô, Mrs Wyn!'

'Tynnwch eich sgidiau cyn dod i mewn, wnewch chi?'

'Wrth gwrs, Mrs Wyn,' atebodd Anni'n gwrtais.

Camodd yn ofalus ar y carped gwyn gan adael
ei hesgidiau ar y mat drws ffrynt, oedd hefyd yn
wyn. A dweud y gwir, roedd popeth yn nhŷ
Begw yn wyn, gan wneud i'r lle edrych a
theimlo fel nefoedd.

'Mae hi'n amser bwyd.'

Dilynodd Anni Mrs Wyn i'r gegin, lle roedd
Begw a Mr Wyn yn eistedd wrth y bwrdd.
Sylwodd Anni mor dawel roedd pawb.

'Ry'n ni'n mwynhau gwrando ar gerddoriaeth glasurol mewn tawelwch amser bwyd,' eglurodd tad Begw.

Doedd neb yn edrych ar ei gilydd. Roedd pawb yn canolbwyntio ar fwyta eu cawl heb wneud unrhyw sŵn, sy'n beth anodd iawn i'w wneud. Gwichiodd cadair Anni wrth iddi eistedd wrth y bwrdd, ac edrychodd Mr a Mrs Wyn yn reit flin arni. Gwenodd Begw'n swil.

Doedd Anni ddim yn siŵr iawn lle i edrych,
felly syllodd ar y cloc mawr gwyn a'r bys
eiliadau yn tic tocian yn araf deg a thawel.

   Erbyn hyn, roedd Anni'n teimlo'n
anghyfforddus. Yn anghyfforddus iawn. Pa mor
hir oedden nhw am eistedd fel hyn? Teimlodd ei
dwylo'n dechrau chwysu.

Roedd Anni'n siŵr fod oriau wedi mynd heibio pan beidiodd y gerddoriaeth o'r diwedd. Safodd Begw ar ei thraed i siarad, neu sibrwd, a dweud y gwir.

'Diolch am eich cwmni. Diolch am y bwyd. Diolch am y gerddoriaeth. Diolch am y distawrwydd. Nos da.'

A gyda hyn, cododd Begw ar ei thraed a rhoi sws ysgafn ar foch ei rhieni.

Yna dechreuodd gerdded i fyny'r grisiau gan dynnu Anni ar ei hôl. Cerddodd y ddwy yn ysgafn droed i fyny'r grisiau ac i mewn i stafell wely Begw.

'Waw, mae amser swper yn dawel iawn yn eich tŷ chi!' mentrodd Anni gan geisio chwerthin ychydig. Roedd hi'n od clywed ei llais ei hun erbyn hyn.

'Tŷ tawel ydi hwn. Mae sŵn yn iawn yn ei le, meddai Mam; yn yr ysgol, mewn ffair, yn y parc, ond nid yn y cartref. Dyna pam mae hi mor braf yma.'

Edrychodd Anni'n syn ar ei ffrind.

'Gwell i ni ddiffodd y golau a mynd i gysgu,' meddai Begw eto.

'Beth? Dim siarad? Dim chwarae gêmau?
Dim gwylio'r teledu? Dim dawnsio a bod ychydig
bach yn wirion? Dim ond . . . cysgu?'

A gyda hynny, roedd y golau wedi ei ddiffodd
a'r llenni wedi eu cau ar olau'r stryd.

Gorweddodd Anni am amser hir yn methu
cysgu. Roedd y distawrwydd bron yn brifo
ei chlustiau.

Pennod 6

Breuddwydio

O'r diwedd, llwyddodd i gysgu, a breuddwydiodd
Begw a hithau drwy'r nos. Breuddwydion hyfryd,
braf . . .

Breuddwydiodd Begw am . . .

ddefaid gwyn
yn prancio
ar gymylau
meddal . . .

am elyrch gwyn yn
nofio'n araf ar y llyn . . .

am eira a hufen iâ
gwyn ym
mhobman . . .

Breuddwydiodd Anni am . . .

syrcas liwgar yn
llawn dawnsio
a chwerthin . . .

am redeg a sgrechian
canu ar lan y môr yn yr
haf â thywod a hufen iâ
pinc ym mhobman . . .

am baentio llun anferth gan
ddefnyddio pob un o
liwiau'r enfys i guddio'i
phapur gwyn . . .

am ffair swnllyd a
hithau'n stwffio pob math
o fferins blasus i'w cheg.

Deffrodd Anni a Begw gyda'i gilydd yn sydyn â gwên anferth ar eu wynebau.

Bloeddiodd Anni'n siriol . . .

atebodd
Begw'n syn.

Cofiodd Anni'n syth am ddistawrwydd diflas
cartref ei ffrind, a dechreuodd deimlo rhywbeth
rhyfedd yn ei chalon.

Doedd hi ddim yn siŵr beth oedd y teimlad, na sut i'w ddisgrifio. Yna, drwy'r ffenestr, clywodd sgrech gyfarwydd ei brawd bach, Elis.

Hiraeth. Dyna oedd y teimlad. Hiraeth am gartref.

'Wela i di nes ymlaen, Begw. Mae'n rhaid
i mi fynd! Diolch am gael aros!'

Pennod 7

Adref ar ras

Rhedodd Anni mor gyflym a thawel ag y gallai,
lawr y grisiau, gan fachu ei hesgidiau heb eu rhoi
ar ei thraed hyd yn oed a chau'r drws ar ei hôl.

Brysiodd at ddrws ffrynt ei thŷ gan wenu ar yr olwg oedd arno.

Disgynnodd darnau o baent brown fel dail yr hydref wrth iddi daro'i llaw fechan.

Tyfodd ei gwên wrth iddi glywed y sŵn gwallgof ochr arall i'r drws – anifeiliaid yn gwichian, cyfarth a mewian, Elis yn crïo a chwerthin am yn ail, ei thad yn canu'n swnllyd a'i mam yn bownsio'n flêr tuag at y drws.

Agorodd y drws i ddangos llanast lloerig ei
theulu yn ei holl ogoniant.

Does unman yn debyg i gartref!